NUMBERS

매스티안

팩토슐레 Math Lv. **3** 시리즈 소개

수 (NUMBERS)

[학습목표] 1부터 50까지의 수를 알 수 있습니다.

교재   교구를 활용한 APP 학습

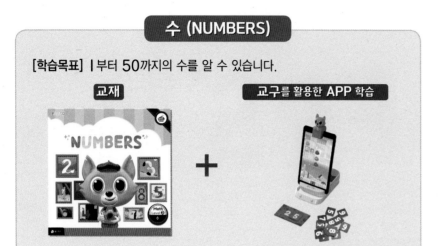

도형 (SHAPES)

[학습목표] 다양한 모양의 ○, △, □ 등을 알 수 있습니다.

교재   교구를 활용한 APP 학습

연산 (OPERATIONS)

[학습목표] 받아올림이 없는 덧셈과 뺄셈을 할 수 있습니다.

교재   교구를 활용한 APP 학습

측정 (MEASUREMENT)

[학습목표] 시계, 무게, 길이, 넓이 등을 알 수 있습니다.

교재   교구를 활용한 APP 학습

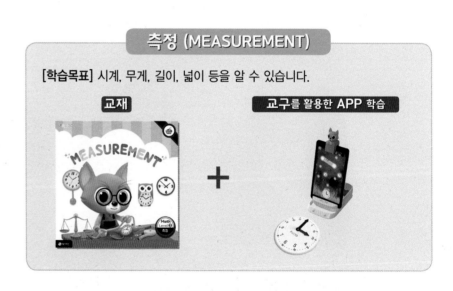

규칙 (PATTERNS)

[학습목표] 다양한 규칙을 찾을 수 있습니다.

교재   교구를 활용한 APP 학습

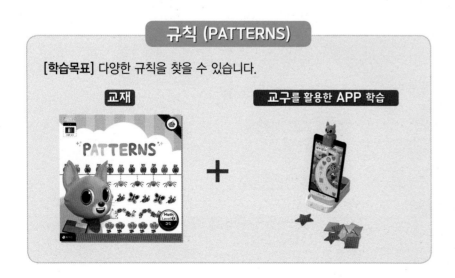

문제해결력 (PROBLEM SOLVING)

[학습목표] 다양한 유형의 문제를 해결할 수 있습니다.

교재   교구를 활용한 APP 학습

팩토슐레 Math Lv. ③ 교재 소개

" 우리 아이 첫 수학도 창의력을 키우는 **FACTO**와 함께! "

팩토슐레는 처음 수학을 시작하는 유아를 위한 창의사고력 전문 program입니다.

팩토슐레는 만들기, 게임, 색칠하기, 붙임딱지 붙이기 등의 다양한 수학 활동을 하면서 스스로 수학 개념을 알 수 있도록 구성되어 있습니다.

수
(NUMBERS)

도형
(SHAPES)

연산
(OPERATIONS)

측정
(MEASUREMENT)

규칙
(PATTERNS)

문제해결력
(PROBLEM SOLVING)

※팩토슐레는 6권으로 구성되어 있으며, 각 권은 30가지의 재미있는 활동을 수록하고 있습니다.

누리과정

팩토슐레는 누리과정·초등수학과정을 연계하여, 수학의 5대 영역(수와 연산, 공간과 도형, 측정, 규칙, 문제해결력)을 균형있게 학습할 수 있도록 하였습니다.
특히 가장 중요한 수와 연산은 각 권으로 구성하여 깊이 있는 학습이 가능하도록 하였습니다.

STEAM PLAY MATH

팩토슐레는 4, 5, 6세 연령별로 학습할 수 있도록 설계한 놀이 수학입니다.
매일매일 놀이하듯 자르고, 붙이고, 색칠하며 재미있는 30가지의 활동을 통해 창의사고력을 기를 수 있습니다.

동화책풍의 친근한 그림

팩토슐레는 동화책풍의 그림들을 수록하여 아이들이 수학을 더욱 친근하게 느끼며 좋아할 수 있도록 하였습니다. 또한 한글을 최소화하고 학습 내용을 직관적으로 이해할 수 있도록 하였습니다.

팩토슐레 Math Lv. ③ 교구·App 소개

" 수학 교육 분야 증강현실(AR)과 사물인식(OR) 기술을
국내 최초 도입 "

교구를 활용한 App 학습 프로세스

① 거치대와 반사경 설치

② App 실행

③ 교구로 문제 해결

④ 사물인식 기술을 활용하여 교구 인식

⑤ 정답과 오답 체크

자기주도학습 　팩토슐레 App만의 장점

팩토슐레 App은 사물인식(OR) 기술을 사용하여 아이들의 학습 정보를 습득한 후, App에 프로그래밍된 학습도우미를 통하여 아이들이 문제 푸는 것을 힘들어하거나 틀릴 경우에는 힌트를 제공합니다.
이와 같은 방식의 스마트기기와의 상호작용은 학습의 효율을 높이고 자기주도학습 능력을 길러 줍니다.

완벽한 학습 설계 App 　다른 교육 App과의 차별점

팩토슐레 App은 수학 교육 목표에 맞게 완벽한 학습 설계가 되어 있습니다. 아이들은 게임 기반의 학습 App을 진행하면서 어려운 문제도 술술 풀 수 있습니다.

증강현실(AR) 기술 도입

팩토슐레 App은 아이들이 캐릭터와 사진도 찍고, 자신이 그린 그림으로 자기만의 쿠키도 만들면서 학습 몰입도를 높일 수 있습니다.

01 친구들이 여러 가지 모양의 초콜릿을 상자에 담아 포장하려고 해요. 초콜릿의 **개수를 세어** 수를 붙이고, 읽어 보세요. 붙임딱지 ❶

10
십

10
십

1
일

➡

11
십   일

10
십

2
이

➡

붙임딱지
붙이는 곳

10
십

3
삼 →

10
십

4
사 →

10
십

5
오 →

엄마는
선생님!
10 카드와 숫자 카드(1~9)로 10부터 15까지의 수를 만들면서 이 수들이 10과 몇으로 구성되어 있다는 것을 알 수 있도록 합니다.

02 이번에는 몇 개의 초콜릿이 있는지 알아볼까요? 초콜릿의 **개수를 세어** 수를 붙이고, 읽어 보세요. 붙임딱지 **①**

1 0
십

6
육

→

붙임딱지
붙이는 곳

1 0
십

7
칠

→

붙임딱지
붙이는 곳

1 0
십

8
팔

→

붙임딱지
붙이는 곳

1 0
십

9
구

→

붙임딱지
붙이는 곳

Let's study! 활동지 **1**

❶ 10 카드를 가운데에 놓고,
숫자 카드(1~9)는 아이 앞에
놓습니다.

❷ 아이는 숫자 카드 1장을
10 카드의 "0"이 보이지
않게 겹쳐서 내려놓습니다.

❸ 2장의 카드로 만들어진 수를
큰 소리로 읽습니다.

십칠

1 7
십 칠

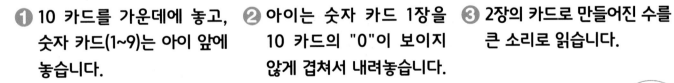

03 친구가 가족들과 함께 수족관에 놀러 왔어요. 여러 동물들을 보며 즐거워하네요. 1부터 20까지의 **수를 순서대로 이어서** 어떤 동물인지 알아보세요.

친구들이 받은 칭찬 붙임딱지에는 **1부터 20까지**의 수가 적혀 있어요. 바닥에 떨어진 붙임딱지에는 **어떤 수가 써 있을까요?**

친구들이 **같은 수 찾기** 놀이를 하고 있네요. 같은 수를 나타내는 카드끼리 선으로 연결해 보세요.

Let's play! 활동지 ② ③

① 카드 40장을 골고루 섞어 바닥에 8장을
펼치고, 각자 8장씩 가집니다.
남은 카드는 한쪽에 쌓아 놓습니다.

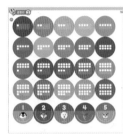

<카드 40장>

② 번갈아 가며 자신의 카드 1장을 내려놓은 후, 더미에 있는 카드 1장도 뒤집어 바닥에 내려놓습니다.

| 2-1 자신의 카드 1장 내려놓기 | → | 2-2 더미 카드 1장 뒤집어 내려놓기 |

자신이 내려놓은 카드와 바닥의 카드가
같으면 그 카드 2장을 가져옵니다.

자신이 뒤집어 내려놓은 카드와 바닥의
카드가 같으면 그 카드 2장을 가져옵니다.

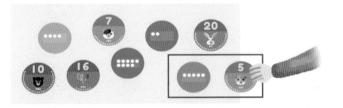
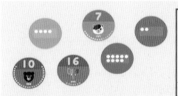

③ 각자 가지고 있던 카드가 모두 없어지면
게임이 끝나고, 카드를 더 많이 모은 사
람이 이깁니다.

이겼다!

엄마는
선생님!
수가 나타내는 점의 개수를 찾으며 수의 크기를 알 수 있도록 합니다.

06 1부터 20까지의 수가 적힌 종이의 비어 있는 곳에는 어떤 수가 있었을까요?
빠진 수를 써 보세요.

1 2 3 [ ] 5 6 [ ] [ ] 9 10

11 [ ] 13 14 [ ] 16 17 [ ] 19 20

1	2		4	5		7	8		10
11	12			15			18	19	

수 조각을 사용하여 1부터 20까지의 활동판 2개를 완성합니다.

1	2								
11									

→

1	2	3							
11	12	13	14						

→ ...... →

활동판 1

1	2	3	4	5	6	7	8	9	10
11	12	13	14	15	16	17	18	19	20

활동판 2

1	2	3	4	5	6	7	8	9	10
11	12	13	14	15	16	17	18	19	20

활동판 1

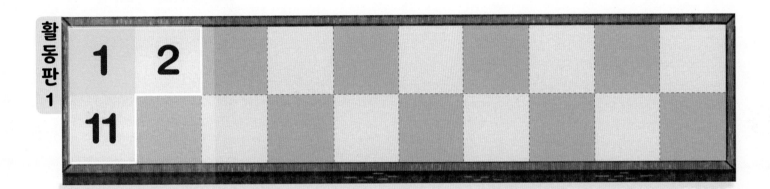

1	2								
11									

활동판 2

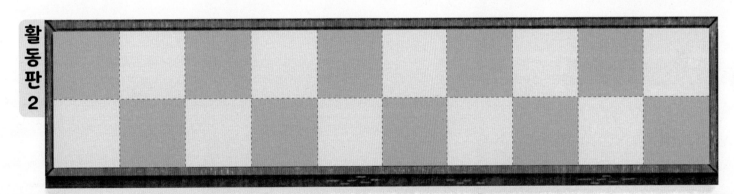

20   9 10   5   2 3 4   6 7 8

5 6 7   19   13   17 18

1   15 16   1 2   8 9 10

11 12   3   4 11   14   19 20

12 13   14 15 16   17 18

07 친구가 엄마와 함께 과일 가게에 왔어요. **과일을 붙이며** 여러 가지 과일들이 **몇 개씩** 있는 지 알아보세요. 활동지 **5**

활동지
붙이는 곳

활동지
붙이는 곳

활동지
붙이는 곳

1 2 3 4 5
6 7 8 9 1

활동지
붙이는 곳

활동지
붙이는 곳

배

복숭아

참외

10
십, 열

20
이십, 스물

30
삼십, 서른

활동지
붙이는 곳

활동지
붙이는 곳

활동지
붙이는 곳

활동지
붙이는 곳

활동지
붙이는 곳

활동지
붙이는 곳

활동지
붙이는 곳

활동지
붙이는 곳

활동지
붙이는 곳

사과

키위

40
사십, 마흔

50
오십, 쉰

초코쿠키 40	과자스틱 50	막대과자 30	버터쿠키 20	초코바 10
모둠쿠키 40	초콜릿 20	감자칩 30	막대사탕 10	딸기쿠키 30

은 얼마?

는 얼마?

은 얼마?

09 친구들이 공원에서 재미있게 놀고 있네요. 공원에 있는 것들을 **10개씩** 묶어서 세어 보세요.

새

풍선

꽃

열매 ☐

구슬 ☐

낱개 10개가 모여 10이 된다는 것을 알고, 물건의 개수를 10개씩 묶어 세어 수로 나타낼 수 있도록 합니다.

10

친구들이 착한 일을 했더니 부모님께서 용돈을 주셨네요. 얼마를 주셨는지 동전을 붙여 나타내고 더 큰 수에 ○표 해 보세요. 붙임딱지 ❶

민우의 착한 일

20

30

수지의 착한 일

50

플라스틱　　종이　　병

10

나래의 착한 일

40

20

현서의 착한 일

30

40

친구들이 용돈을 세고 있어요. 동전을 세어 친구들이 모은 **용돈은** 얼마인지 알아보세요.

붙임딱지 ①

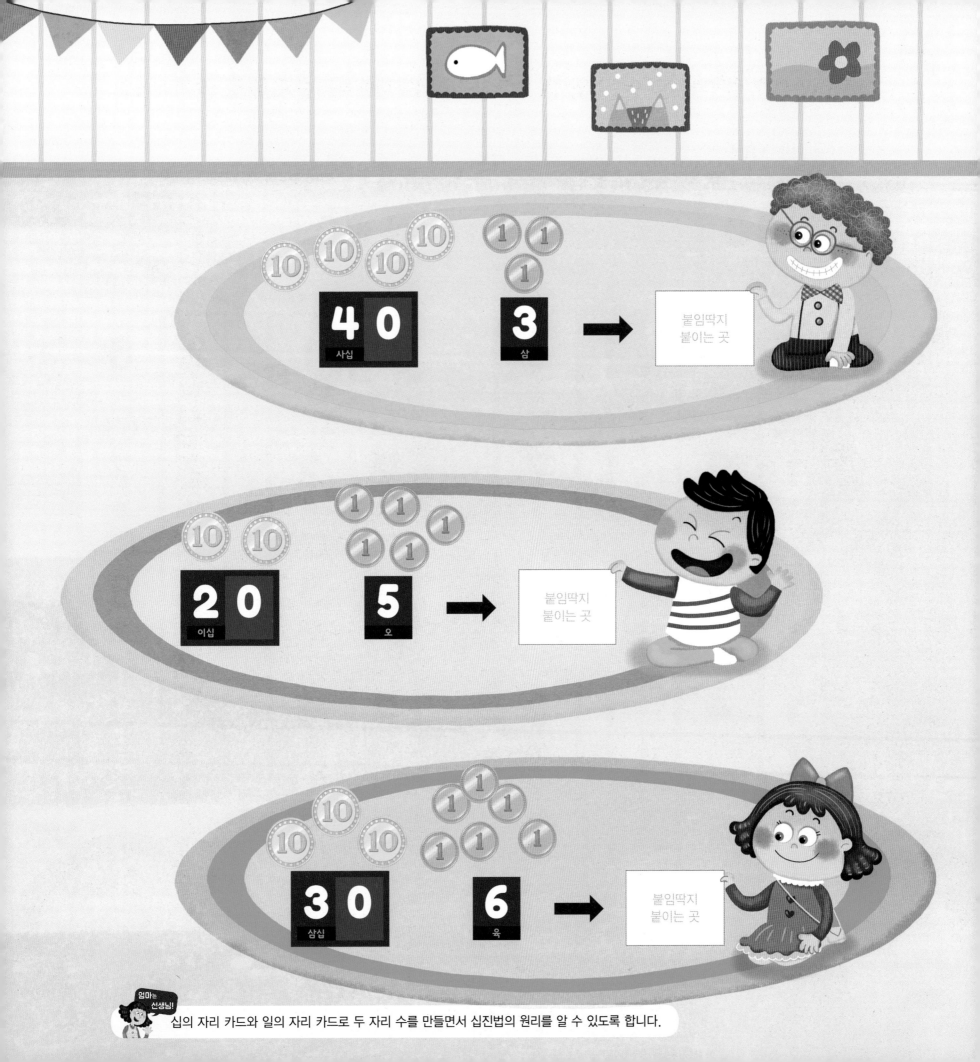

40 사십 **3** 삼 → 붙임딱지 붙이는 곳

20 이십 **5** 오 → 붙임딱지 붙이는 곳

30 삼십 **6** 육 → 붙임딱지 붙이는 곳

엄마는 선생님! 십의 자리 카드와 일의 자리 카드로 두 자리 수를 만들면서 십진법의 원리를 알 수 있도록 합니다.

12 친구들이 아빠, 엄마와 함께 수 읽기 놀이를 하고 있어요. 벽에 적힌 수를 **순서대로 읽어** 보세요.

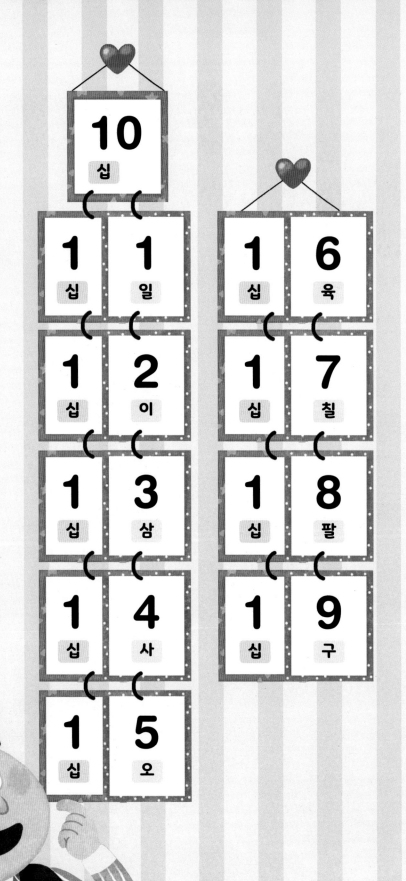

30 삼십

3 삼십	1 일
3 삼십	2 이
3 삼십	3 삼
3 삼십	4 사
3 삼십	5 오

3 삼십	6 육
3 삼십	7 칠
3 삼십	8 팔
3 삼십	9 구

40 사십

4 사십	1 일
4 사십	2 이
4 사십	3 삼
4 사십	4 사
4 사십	5 오

4 사십	6 육
4 사십	7 칠
4 사십	8 팔
4 사십	9 구

13 친구가 액자에 적힌 수를 읽고 있어요. 수를 하나씩 가리키며 **큰 소리로 읽어** 보세요.

❶ 아이는 십의 자리 카드(10, 20, 30, 40)를, 엄마는 일의 자리 카드(1~9)를 가집니다.

❷ 먼저 아이가 십의 자리 카드 1장을 내려놓 으면 엄마는 그 카드의 "0"이 보이지 않게 일의 자리 카드 1장을 겹쳐서 내려놓습니다.

❸ 2장의 카드로 만들어진 수를 큰 소리로 읽습니다.

14 친구들이 동전 찾기를 하고 있어요. 줄을 따라가며 친구들이 찾은 동전은 **모두 얼마인지** 알아보세요.

15

긴 초는 10살, 짧은 초는 1살을 나타내어요. 사진을 보고 **나이에 맞게** 케이크에 붙임딱지를 붙여 보세요. 붙임딱지 ①

Let's study! 활동지 ④

① 가족이나 친척의 나이를 알아봅니다.

삼촌 나이가 몇 살이죠?

28살이란다.

② 나이에 맞게 초를 올립니다.

<삼촌 나이 28살>

활동지(초) 올려놓는 곳

6 번째 생일을 축하해!!

13 번째

생일을
축하해

♥

37 번째

생신을
축하드려요!

42 번째 생신을 축하드려요!

친구들이 사고 싶어 하는 **장난감이 얼마**인지 읽어 보고, **동전**을 붙여 보세요.

붙임딱지 ❶

16

붙임딱지 붙이는 곳

23

41

붙임딱지 붙이는 곳

32

25

붙임딱지 붙이는 곳

붙임딱지 붙이는 곳

친구가 물고기를 사러 왔어요. 수족관마다 예쁜 물고기들이 많이 있네요.

물고기가 몇 마리씩인지 세어 볼까요?

혈앵무 **26** 마리

알리 　 마리

베타 　 마리

옐로우탱 [   ] 마리

구피 [   ] 마리

테트라 [   ] 마리

18 연못에서 동물들이 즐겁게 놀고 있어요. 1부터 50까지의 수를 **순서대로 이어** 어떤 동물들이 있는지 알아보세요.

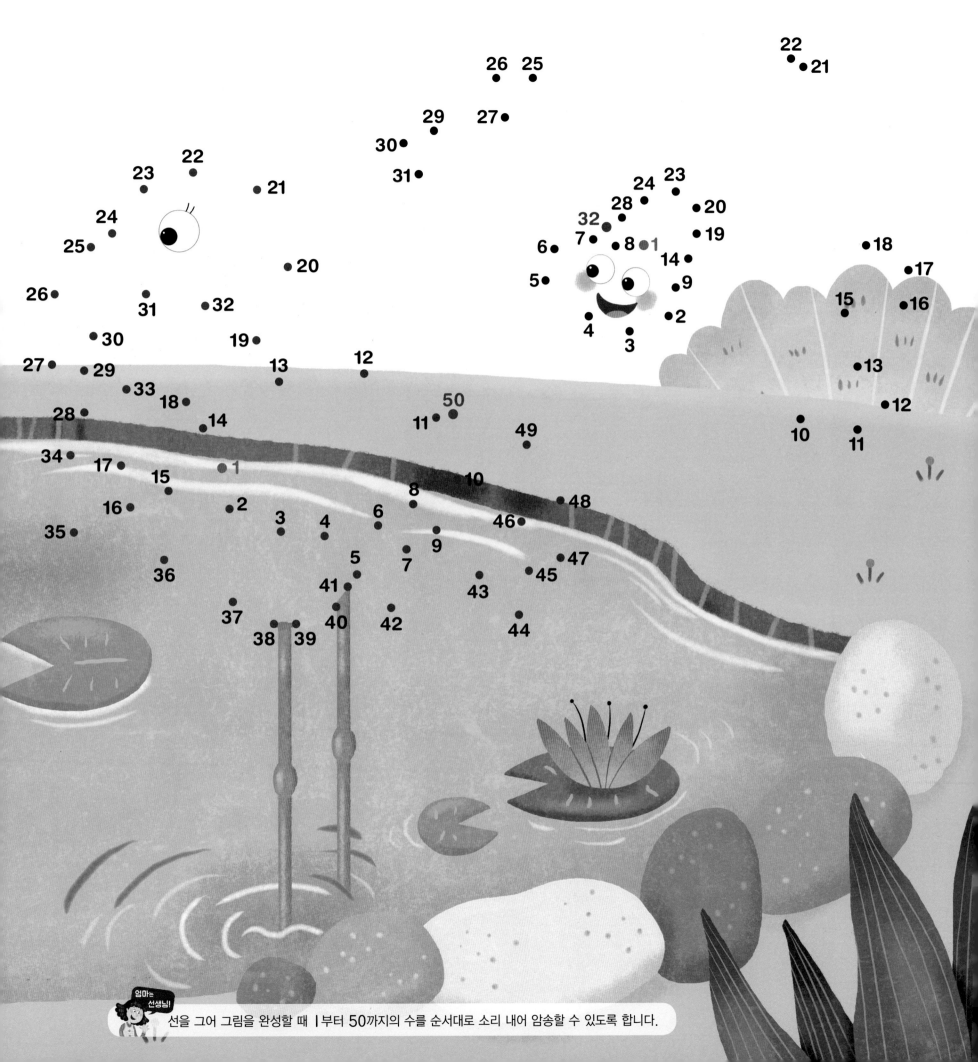

선생님께서 친구들에게 칭찬 붙임딱지를 주셨어요. 친구들이 받은 칭찬 붙임딱지의 빈 곳에
순서에 맞게 알맞은 수를 써넣으세요.

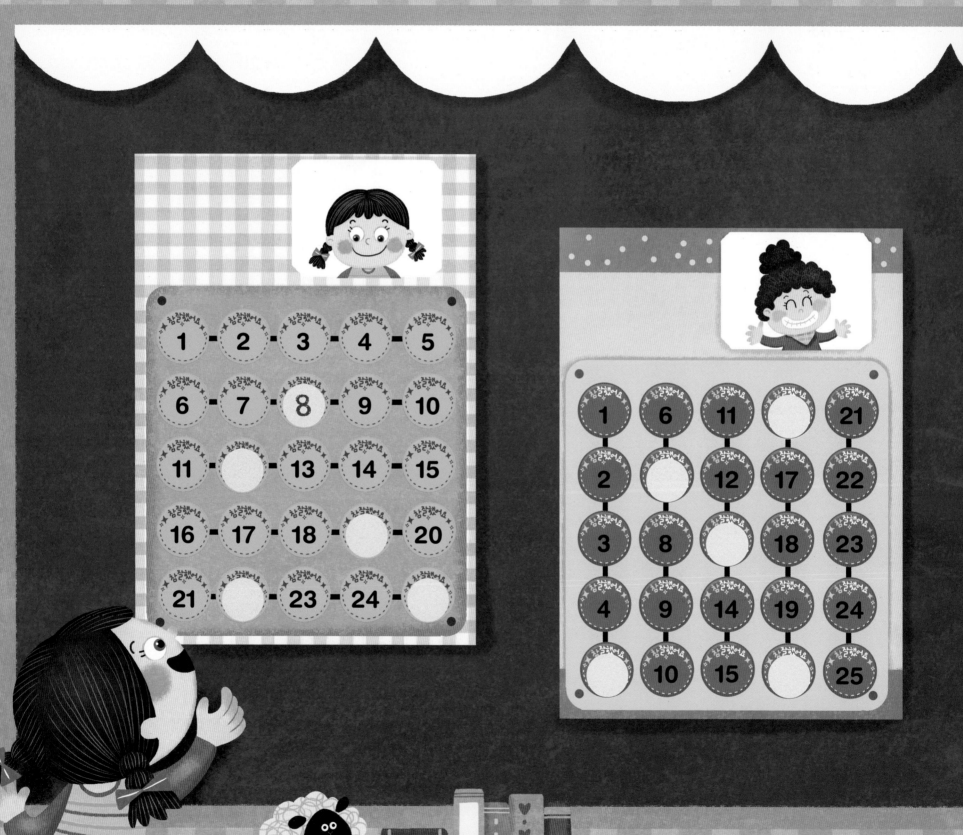

참 잘 했어요

26		28	29	30
	34	33		31
36		38	39	40
45	44	43	42	41
46	47	48		50

26	35	36	45	46
27		37	44	47
28	33	38	43	
	32		42	49
30	31	40		

I 부터 50까지의 수를 순서대로 소리 내어 암송하며 빠진 수를 찾을 수 있도록 합니다.

친구들이 재미있게 놀고 있어요. 그런데 공과 카드를 보니 빠진 수가 보이네요.
비어 있는 공과 카드에 **알맞은 수**를 써 보세요.

수 읽기를 하며 재미있는 **주사위 놀이**를 해 보세요.

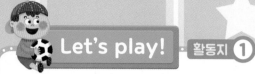 Let's play! 활동지 ❶

❶ 순서를 정하고 번갈아 가며 주사위를 굴립니다.

❷ 주사위에 나온 수만큼 게임말을 움직입니다.

❸ 도착한 곳에 사다리가 있으면 사다리를 타고 올라갑니다.

❹ 도착한 곳에 미끄럼틀이 있으면 미끄럼틀을 타고 내려갑니다.

❺ 먼저 도착!! 에 가는 사람이 이깁니다.

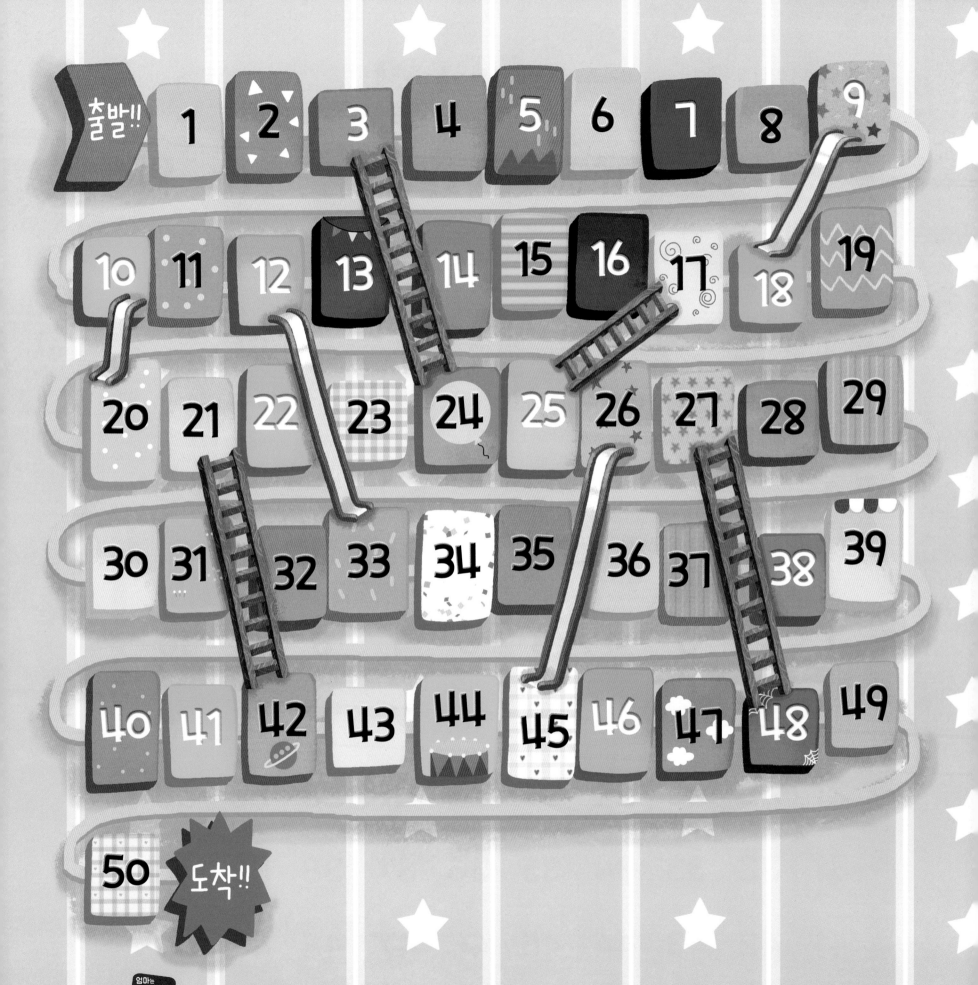

출발!! 1 2 3 4 5 6 7 8 9
10 11 12 13 14 15 16 17 18 19
20 21 22 23 24 25 26 27 28 29
30 31 32 33 34 35 36 37 38 39
40 41 42 43 44 45 46 47 48 49
50 도착!!

친구들이 장난감 가게에 놀러 갔어요. 자동차에 적힌 수를 보고 **1 작은 수, 1 큰 수**를 써 보세요.

Let's study! 활동지 ❺

❶ 가위바위보를 해서 이긴 사람이 활동지를 놓습니다.

1	2	3	4	5	6	7	8	9	10
11	12	13	14	15	16	17	18	19	20
21	?	23	?	25	26	27	28	29	30
				35	36	37	38	39	40
41	42	43	44	45	46	47	48	49	50

❷ 진 사람은 **?** 에 들어갈 수를 예상하여 말합니다.

1 작은 수 ? 23 ? 1 큰 수

❸ 예상한 수가 맞는지 확인합니다.

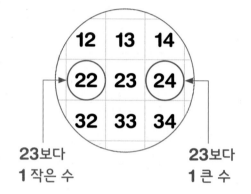

12	13	14
22	23	24
32	33	34

23보다
1 작은 수

23보다
1 큰 수

활동판

1	2	3	4	5	6	7	8	9	10
11	12	13	14	15	16	17	18	19	20
21	22	23	24	25	26	27	28	29	30
31	32	33	34	35	36	37	38	39	40
41	42	43	44	45	46	47	48	49	50

23 금화를 실은 기차가 달리고 있어요. 기차에 적힌 수를 보고 **10 작은 수, 10 큰 수**에 알맞게 금화를 붙이고, 수를 써 보세요. 붙임딱지 ①

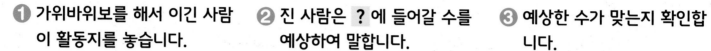

Let's study! · 활동지 ⑤

❶ 가위바위보를 해서 이긴 사람이 활동지를 놓습니다.

활동판

1	2	3	4	5	6	7	8	9	10
11	12	13	14	15	?	17	18	19	20
21	22	23	24		26	27	28	29	30
31	32	33	34		?	37	38	39	40
41	42	43	44	45	46	47	48	49	50

❷ 진 사람은 **?** 에 들어갈 수를 예상하여 말합니다.

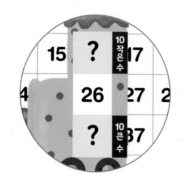

15 | ? | 10 작은 수 17

4 | 26 | 27 | 2

? | 10 큰 수 37

❸ 예상한 수가 맞는지 확인합니다.

15	⑯	17
25	26	27
35	㊱	37

26보다
10 작은 수

26보다
10 큰 수

활동판

1	2	3	4	5	6	7	8	9	10
11	12	13	14	15	16	17	18	19	20
21	22	23	24	25	26	27	28	29	30
31	32	33	34	35	36	37	38	39	40
41	42	43	44	45	46	47	48	49	50

친구가 수 놀이를 하려고 하는데 놀이판이 망가졌어요. 망가진 부분에는 어떤 수가 있었을까요? 빈 곳에 알맞은 수를 써 보세요.

1	2		4	5	6	7	8	9	
11	12	13	14	15		17	18	19	
21	22		24	25	26	27			30
31	32		34	35		37	38	39	40
41		43		45				49	50

1			4	5		7	8	9	10
11	12		14	15				19	20
21			24		26	27		29	30
31	32	33				37	38	39	
41	42	43	44		46				

2

25

16

47

수 배열판의 규칙을 활용하여 1부터 50까지의 수의 순서를 알고 빠진 수를 찾을 수 있도록 합니다.

25 장난꾸러기 동생이 책을 찢었어요. 찢어진 종이에 **맞는 쪽수를 써넣어** 친구를 도와주세요.

친구들이 동물원에 놀러 갔어요. 친구들이 구경하는 동물은 어떤 동물일까요? 안내판을 보고 알맞은 **색을 칠해** 어떤 동물인지 알아보세요.

34				39
	45		50	
	28	22		
	4	7		
	9			
	31		27	
21	40	35		
	41	12	47	
	26	23		

1 ~ 10 :
11 ~ 20 :
21 ~ 30 :
31 ~ 40 :
41 ~ 50 :

그림에 주어진 수를 몇십과 몇으로 나누어 수의 범위를 파악하고 규칙에 맞게 색칠할 수 있도록 합니다.

27

두 수의 **크기**를 **비교**하여 말하는 연습을 하고, 친구와 함께 게임을 해 보세요.

Let's study!   활동지 ② ③ ④ ⑤

① 동물 카드를 섞은 다음 1장씩 골라 지붕 위에 올려놓습니다.

② 카드에 적힌 수만큼 동전을 집(🏠 안)에 올려놓습니다.

③ 집(🏠 안)에 놓은 동전을 비교하여 큰 수를 말해 봅니다.

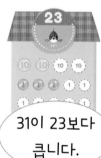

31이 23보다 큽니다.

동물 카드 올려놓는 곳

| 10 | 10 | 10 | 10 |

| 1 | 1 | 1 | 1 | 1 |

| 1 | 1 | 1 | 1 | 1 |

동물 카드 올려놓는 곳

| 10 | 10 | 10 | 10 |

| 1 | 1 | 1 | 1 | 1 |

| 1 | 1 | 1 | 1 | 1 |

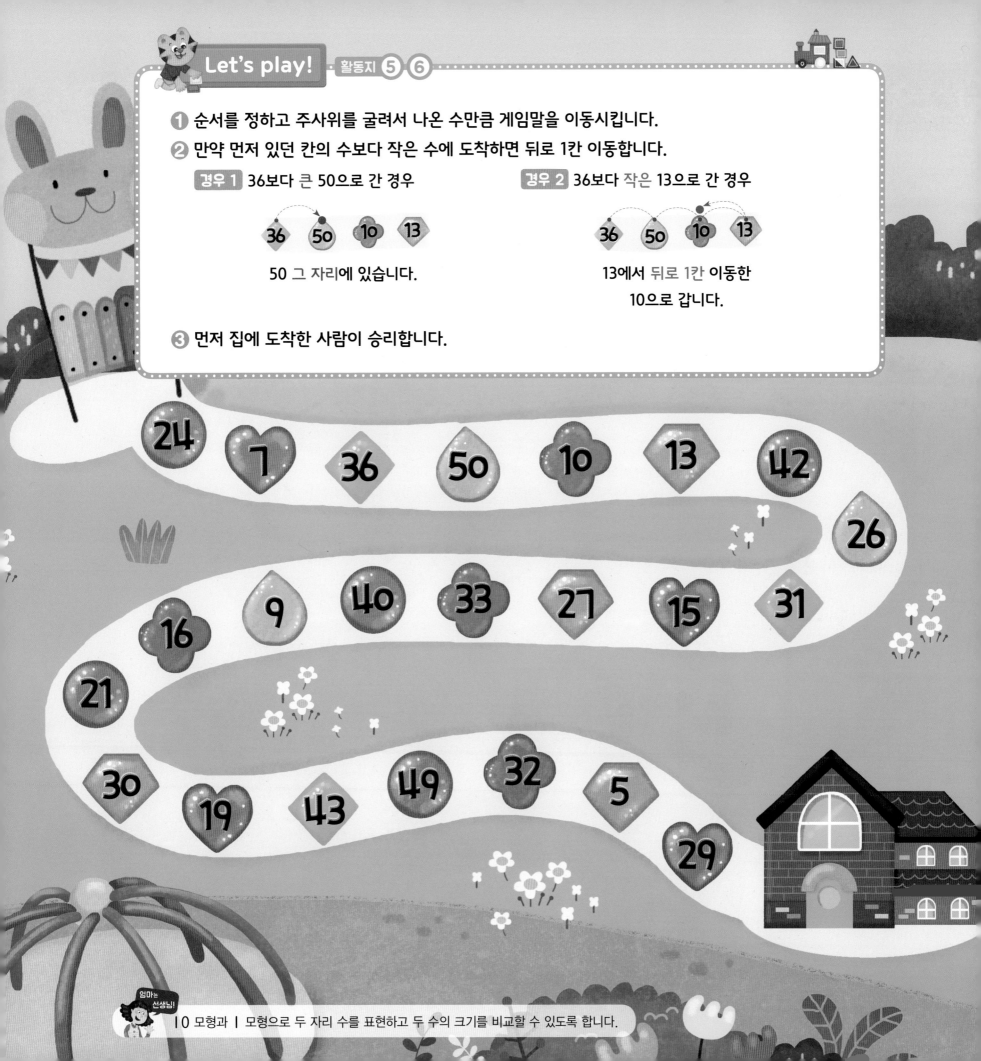

Let's play! 활동지 ⑤ ⑥

① 순서를 정하고 주사위를 굴려서 나온 수만큼 게임말을 이동시킵니다.

② 만약 먼저 있던 칸의 수보다 작은 수에 도착하면 뒤로 1칸 이동합니다.

경우 1 36보다 큰 50으로 간 경우

36 50 10 13

50 그 자리에 있습니다.

경우 2 36보다 작은 13으로 간 경우

36 50 10 13

13에서 뒤로 1칸 이동한
10으로 갑니다.

③ 먼저 집에 도착한 사람이 승리합니다.

24 7 36 50 10 13 42 26

9 40 33 27 15 31 16

21 30 19 43 49 32 5 29

친구들이 동물 카드 놀이를 하고 있어요. 친구들이 말하는 카드에 ○표 해 보세요.

Let's play! · 활동지 ② ③ ④ ⑥

❶ 1~50의 동물 카드를 각자 7장씩 나누어 가진 후, 주사위를 굴립니다.

❷ 주사위를 굴려 나온 말을 보고, 이길 것 같은 카드를 1장 내려놓습니다.

❸ 서로의 카드를 비교하여 이긴 사람이 2장의 카드를 모두 가져갑니다.

❹ 게임을 하여 각자 가지고 있던 카드가 모두 없어지면 게임이 끝나고, 카드를 더 많이 모은 사람이 이깁니다.

먼저 몇십을 비교한 후 몇십이 같은 경우에만 몇을 비교하여 두 수의 크기를 비교한다는 것을 알 수 있도록 합니다.

친구들이 동물원에 놀러 갔어요. 활동지의 그림을 **작은 수부터 왼쪽**에 붙여 친구들이 구경하는 동물을 알아보세요. 활동지 ❻

	활동지 붙이는 곳	활동지 붙이는 곳	활동지 붙이는 곳	활동지 붙이는 곳	활동지 붙이는 곳	활동지 붙이는 곳	활동지 붙이는 곳	활동지 붙이는 곳	활동지 붙이는 곳

33

활동지 붙이는 곳

활동지 붙이는 곳

활동지 붙이는 곳

활동지 붙이는 곳

활동지 붙이는 곳

활동지 붙이는 곳

활동지 붙이는 곳

활동지 붙이는 곳

활동지 붙이는 곳

활동지 붙이는 곳

MEMO

빠진 수를 써 보세요.

11부터 30까지

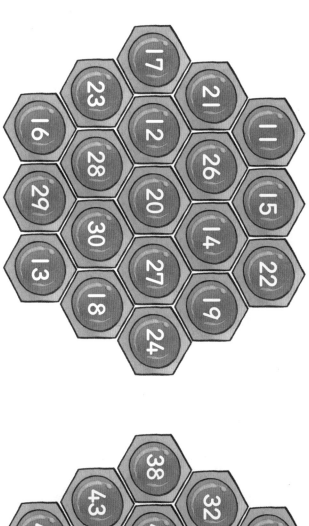

27부터 46까지

실력팍팍 수

3 기차에 적힌 수를 보고 빈칸에 알맞은 수를 써넣으세요.

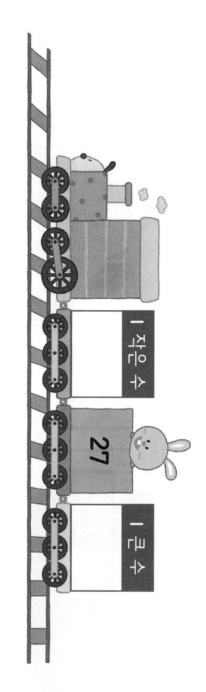

1 작은 수

27

1 큰 수

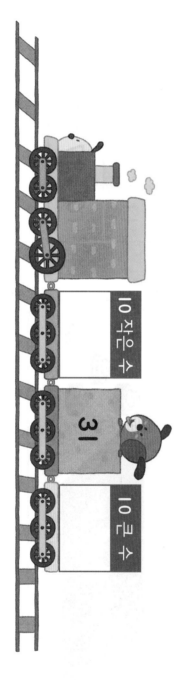

10 작은 수

31

10 큰 수

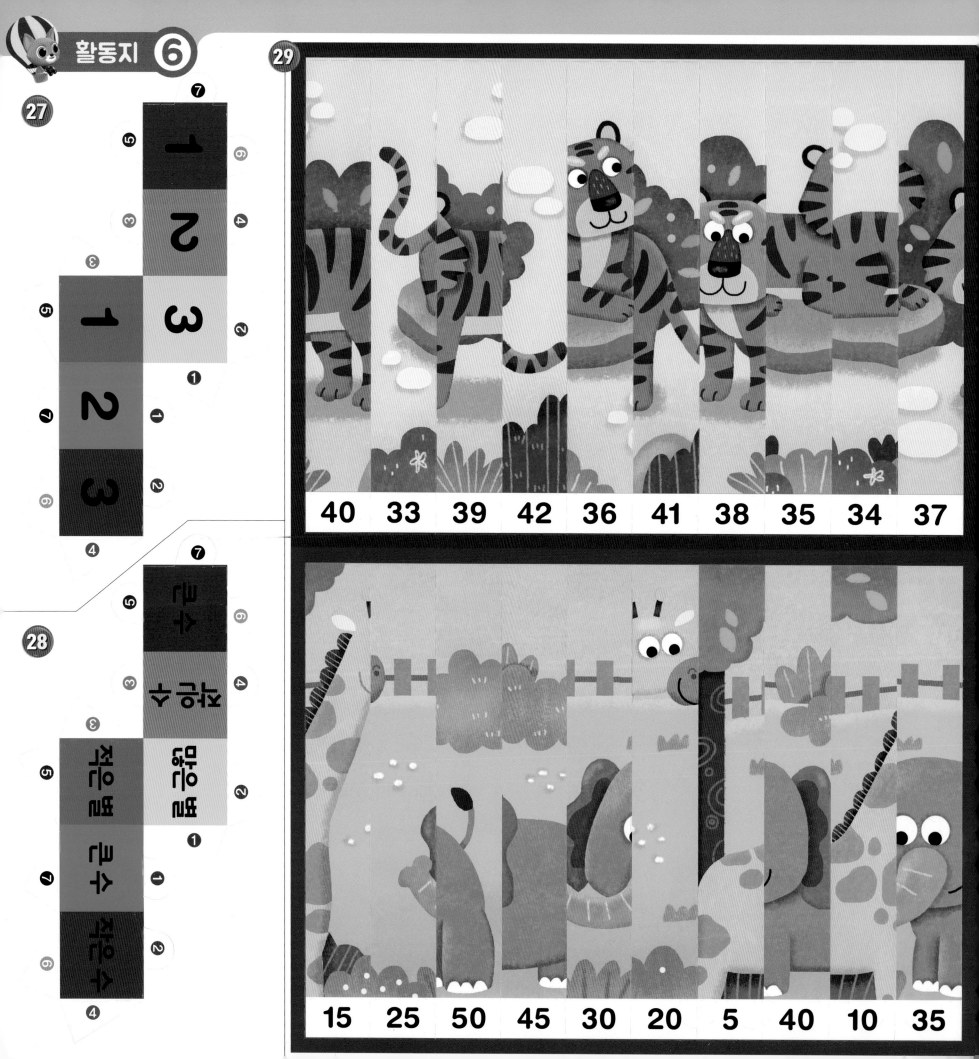

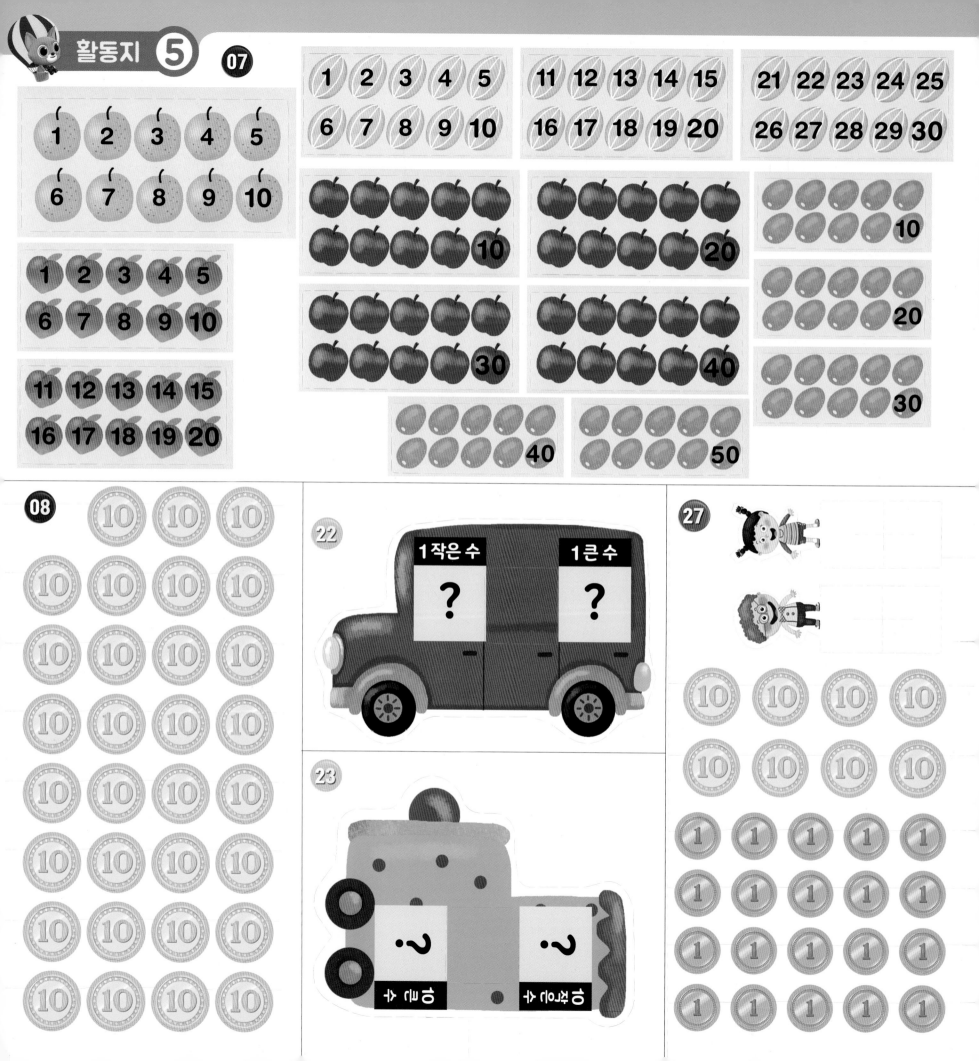

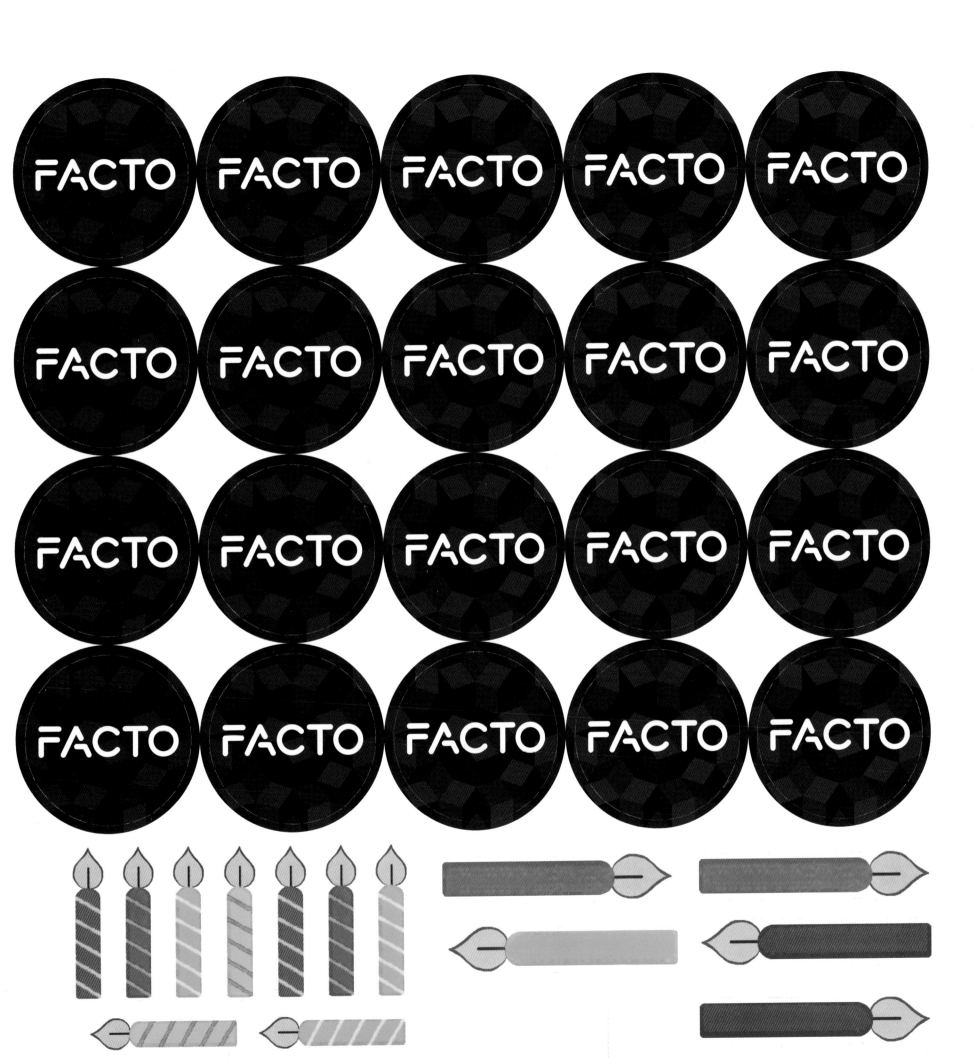

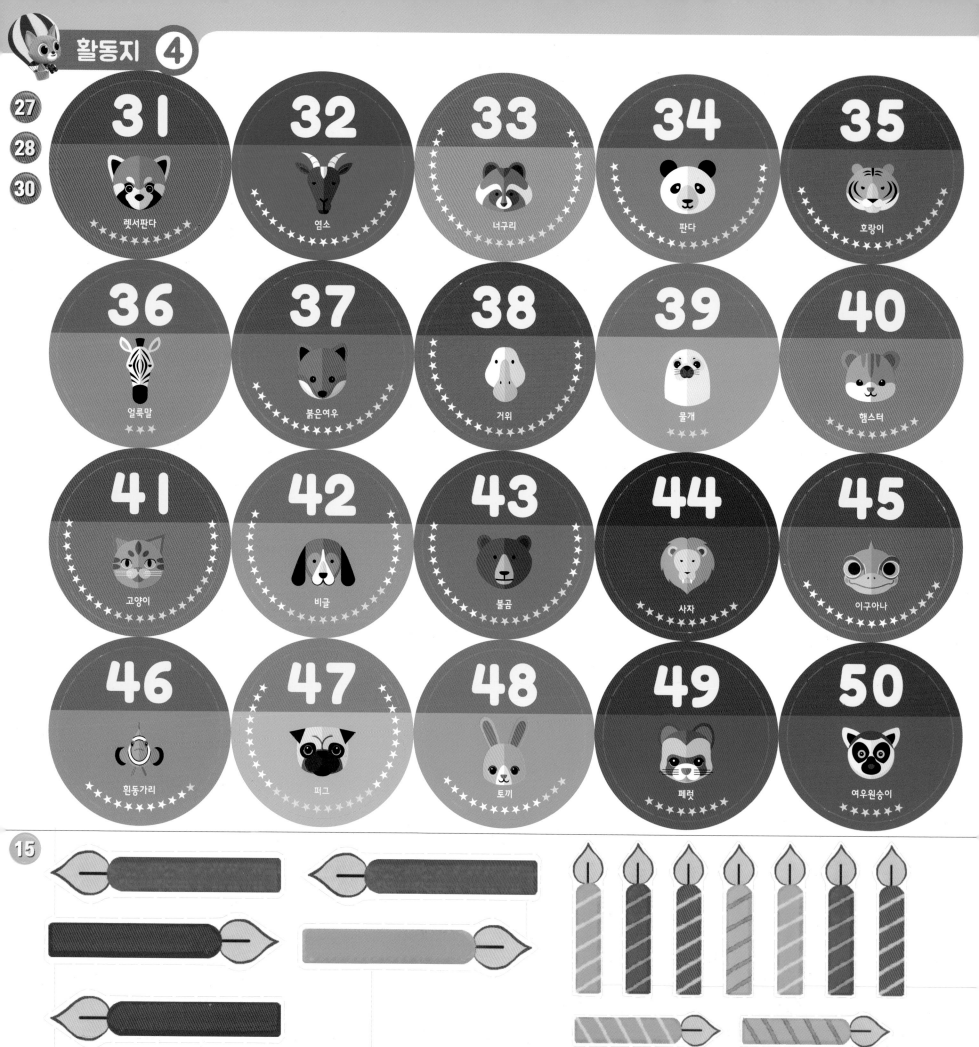

31 렛서판다
32 염소
33 너구리
34 판다
35 호랑이
36 얼룩말
37 붉은여우
38 거위
39 물개
40 햄스터
41 고양이
42 비글
43 불곰
44 사자
45 이구아나
46 흰동가리
47 퍼그
48 토끼
49 페럿
50 여우원숭이

15

05

27
28
30

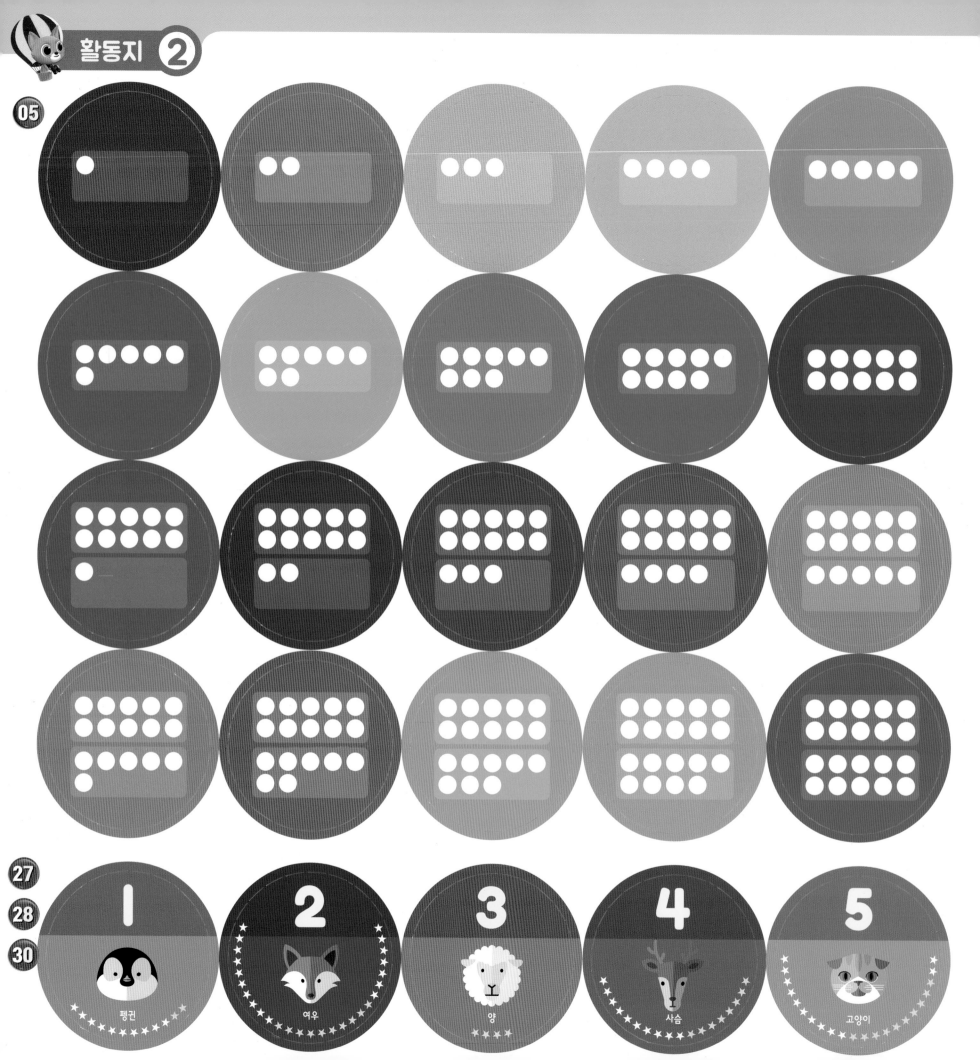

FACTO FACTO

FACTO FACTO

4	3	2	1
사	삼	이	일

9	8	7	6	5
구	팔	칠	육	오

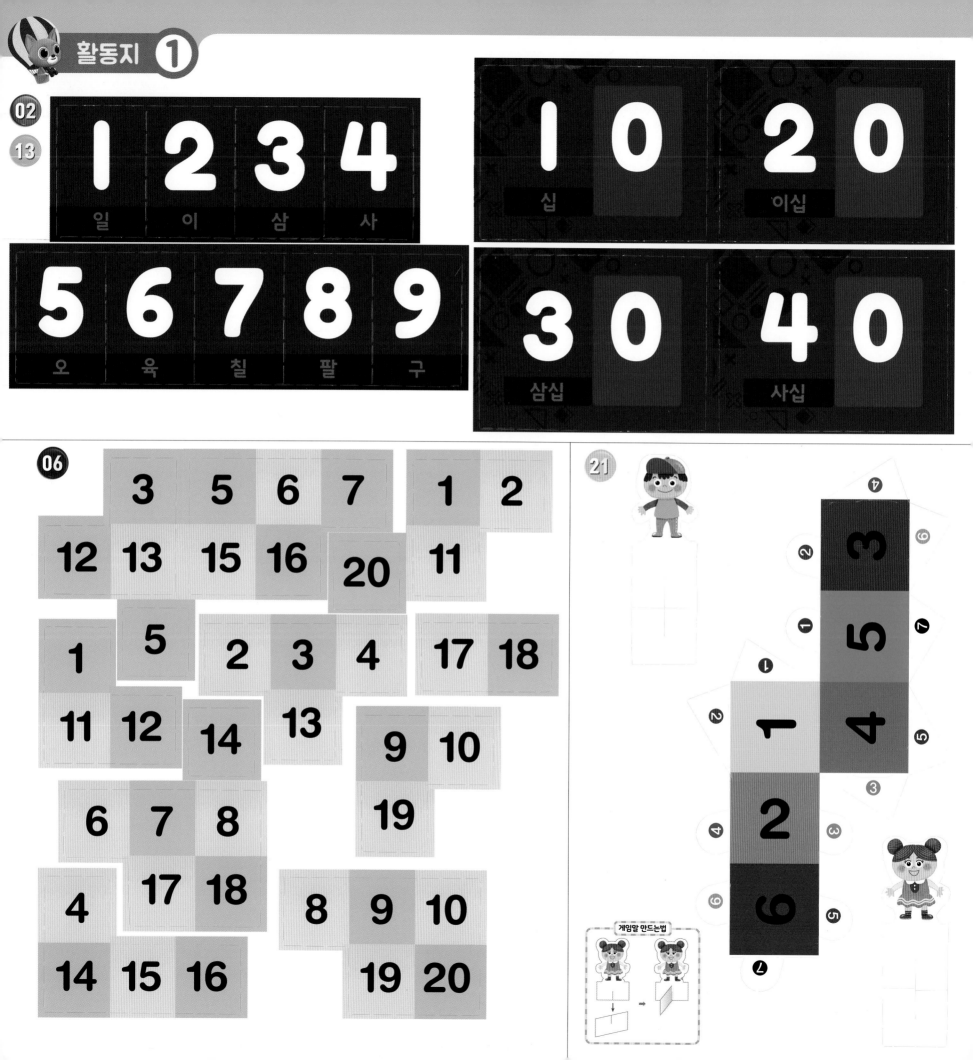

02
13

1	2	3	4
일	이	삼	사

5	6	7	8	9
오	육	칠	팔	구

10
십

20
이십

30
삼십

40
사십

06

3	5	6	7	1	2

12 13 15 16 20 11

1 5 2 3 4 17 18

11 12 14 13 9 10

6 7 8 19

4 17 18 8 9 10

14 15 16 19 20

21

3
5
4
1
2
9

게임말 만드는법

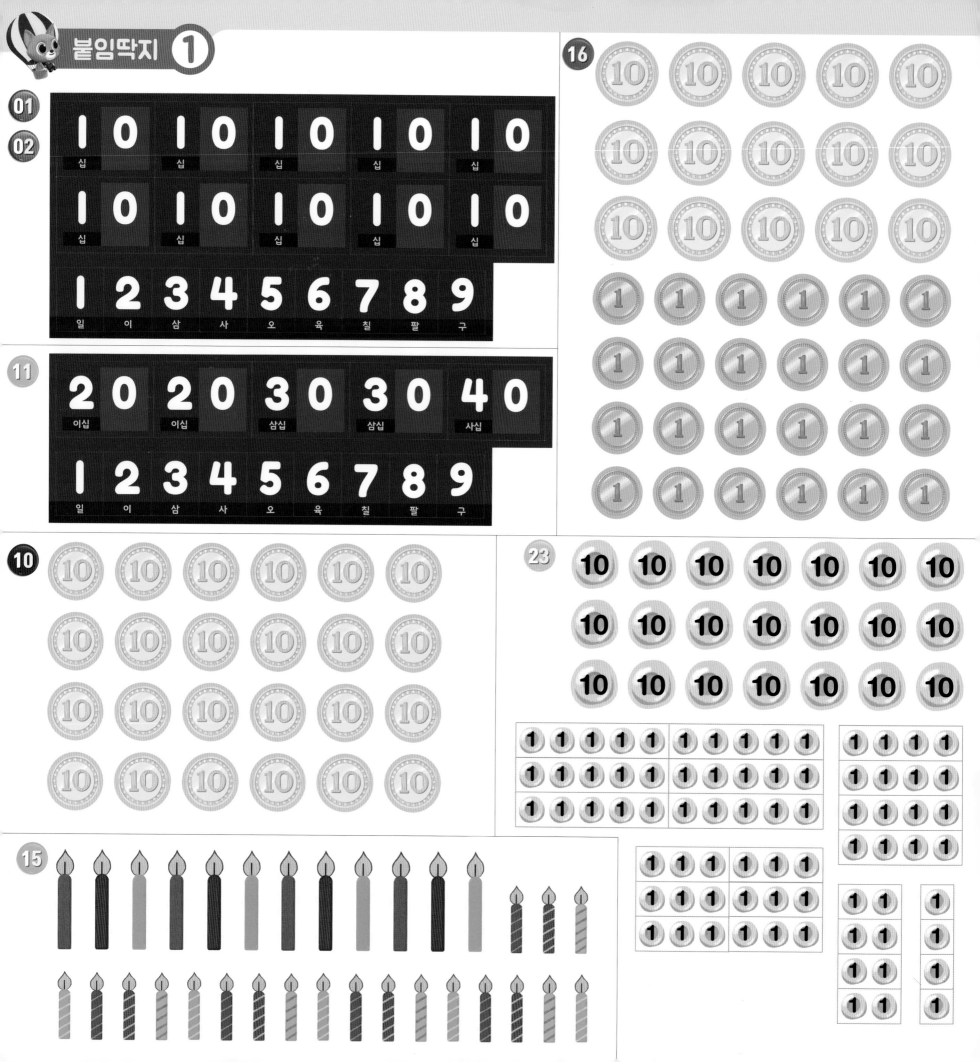